Per Gustavsson

Så gör prinsessor

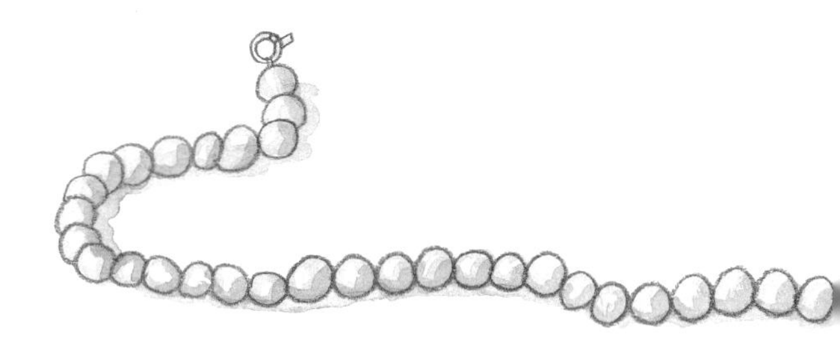

NATUR & KULTUR

Bra bilderböcker till bra pris.
Läs även:
När prinsessor fyller år av Per Gustavsson
Nalle Bruno och myrorna av Gunilla Ingves
Nalle Bruno och gräshoppan Tippe av Gunilla Ingves
Dagspöket möter ett spöke av Jujja och Tomas Wieslander och Jens Ahlbom
Bullen och väskan av Ulf Sindt och Mati Lepp

När prinsessor vaknar äter de alltid frukost i sängen.

Smultron, jordgubbar, kakor
och en stor bit prinsesstårta.

För så gör prinsessor.

Sen är det dags att välja
klänning, skor ...

... och smycken.

Håret måste borstas.
Tusen tag,
varken mer eller mindre.

För så gör prinsessor.

När broar ska invigas
eller när båtar ska döpas,

är det prinsessor
som hjälper till.

För sånt gör prinsessor.

Det händer att prinsessor kopplar av med lite ishockey.

De tacklar alltid hårdast.

För det gör prinsessor.

När prinsessor är på resa,
händer det att de måste
rädda en by
från farliga rövare.

De fäktas och
driver rövarna
på flykten.

För så gör prinsessor.

Som om det inte
var nog med det,
så dyker det alltid upp
en drake.

Drakar är besvärliga att tas med.

De sprutar eld ...

… och flyger omkring och stör.

Men prinsessor
lyckas alltid
överlista dem till slut.

Och har prinsessor tur,
kanske de råkar rädda en kung
eller en snygg prins

som de kan gifta sig med.

Efter en hård dag
är det skönt att lägga sig
på femton madrasser
och dra ett dunbolster över sig.

För så gör prinsessor

www.prinsessor.nu

Läs också

När prinsessor fyller år
När prinsessor tar semester

info@nok.se
www.nok.se

Andra upplagan, fjärde tryckningen

Bokförlaget Natur och Kultur, Stockholm

Tryck: Litopat, Italien 2008

ISBN 978-91-27-02567-7